Ce livre appartient à

____

Pierre et le Loup

ILLUSTRATIONS

Richard Bernal

Mango

Adaptation Samantha Easton
Traduction Ariane Bataille

Dépôt légal : mars 1993
ISBN 2 7404 0253 8

Pierre et le Loup

Il y a très longtemps, vivait en Russie un petit garçon qui s'appelait Pierre. Il habitait avec son grand-père une maison de bois entourée d'un petit jardin. La maison et le jardin étaient protégés par un grand mur de pierre.

De l'autre côté du mur s'étendaient une vaste prairie et, au-delà, une forêt immense.

Pierre mourait d'envie d'aller jouer dans la prairie et d'explorer la forêt. Mais son grand-père lui avait formellement interdit de franchir le grand mur.

"Pourquoi pas, Grand-père ? avait demandé Pierre.

– Parce que si tu vas dans la prairie, le loup féroce peut sortir de la forêt. Que ferais-tu alors ?" répondit le grand-père.

Pierre se dit en lui-même : "Si le loup sortait de la forêt, je l'attraperais !"

Un matin, Pierre se réveilla très tôt. Il vit le soleil se lever. Dehors, sur la branche d'un bouleau, un petit oiseau chantait. Cet oiseau, était l'ami de Pierre.

"Quelle belle journée ! Il fait vraiment beau !" se dit-il.

Pierre s’habilla, descendit l’escalier sur la pointe des pieds et courut dans le jardin.

Le petit oiseau vint se percher sur son épaule.

“Comme la prairie est jolie !” chanta-t-il.

Pierre jeta un coup d’œil à travers le portail. Les hautes herbes vertes se balançaient dans le vent du matin. Au milieu de la prairie, la mare était d’un bleu étincelant. C’était le jour rêvé pour partir en exploration !

Pierre se retourna. La maison était silencieuse.

“Grand-père dort toujours !” pensa-t-il.

Il ouvrit alors la porte du jardin et s'élança dans la prairie !

Mais dans sa hâte, il avait oublié de refermer le portail et le canard sortit derrière lui.

"Je vais faire un petit plongeon dans la mare !" cria l'animal en se dandinant joyeusement. Puis il se glissa dans l'eau.

Le petit oiseau le regarda avec curiosité et, s'envolant de l'épaule de Pierre, alla le voir de plus près.

“Quelle sorte d’oiseau es-tu si tu ne sais pas voler ? gazouilla-t-il.

– Et toi, quelle sorte d’oiseau es-tu si tu ne sais pas nager ?” répliqua le canard en colère.

Le petit oiseau et le canard commencèrent à se disputer. Le canard nageait en rond autour de la mare en lançant des coin-coin sonores et en ébouriffant ses plumes, tandis que le petit oiseau sautillait sur la berge en piaillant.

Pierre riait aux éclats. Mais tout à coup, il aperçut le chat se faufiler dans l’herbe.

Il s’approcha sans bruit sur ses pattes de velours.

"Ces stupides oiseaux sont bien trop occupés à se chamailler pour me voir, pensa-t-il. Si j'arrive à l'approcher vite et sans bruit, ce petit oiseau fera un excellent petit déjeuner !"

Mais à ce moment-là, Pierre cria à son ami :

"Attention ! Attention !"

Le petit oiseau s'envola juste à temps au sommet d'un grand arbre !

Le chat en fit le tour sans quitter l'oiseau des yeux.

"Et si je grimpais ? se demanda-t-il. Mais le temps que j'arrive au sommet, l'oiseau se sera envolé !"

Pierre les observait avec attention quand une voix, derrière lui, gronda :

"Pierre ! Qu'est-ce que tu fais là ?"

Pierre tourna la tête, c'était son grand-père.

"Je t'ai déjà dit de ne pas aller dans la prairie ! Et si le loup sortait de la forêt ? Que ferais-tu ?"

Il ramena Pierre dans le jardin et ferma la porte à clef.

"Je dois aller faire des courses à la ville. Reste ici et sois bien sage", recommanda le grand-père.

Il s'en alla, laissant Pierre tout seul dans le jardin. Le petit garçon s'assit devant la maison en soupirant.

"Ne sois pas triste, Pierre, chanta son ami le petit oiseau.

– Mais ce n'est pas juste ! dit Pierre. Si je voyais le loup, je l'attraperais. Je sais que je le pourrais !" Juste à ce moment-là, un grand loup gris sortit de la forêt !

A sa vue, le chat grimpa dans l'arbre en miaulant. Le petit oiseau, lui, sautilla jusqu'au bout d'une longue branche, aussi loin que possible du chat.

"Au secours ! Au secours !" cria le canard qui nageait sur la mare. Terrifié, il sortit de l'eau pour courir jusqu'à la maison.

Hélas, le canard eut beau se dépêcher, il ne put échapper au féroce loup gris qui, ouvrant une large mâchoire, l'avala en une bouchée.

Puis, voyant le chat et le petit oiseau, il s'approcha doucement de l'arbre sur lequel ils s'étaient réfugiés.

"Il faut absolument que j'arrête ce loup !" pensa Pierre.

Il courut dans la maison dont il ressortit avec une corde enroulée autour de son épaule et escalada le haut mur. Comme l'une des branches du grand arbre touchait le mur, il put facilement rejoindre ses amis et les sauver. Tous deux se précipitèrent vers lui, l'oiseau sur son épaule, le chat dans ses bras. Mais le petit oiseau n'était quand même pas très rassuré de se retrouver aussi près du chat !

"Ne pourriez-vous pas essayer d'être amis, tous les deux ?" leur demanda Pierre.

Alors le chat présenta ses excuses à l'oiseau en promettant de ne plus jamais le chasser.

Mais le loup était toujours au pied de l'arbre.

"Que pouvons-nous faire ? demanda le petit oiseau.

– J'ai un plan, répondit Pierre. Va vite voler autour de la tête du loup. Mais fais bien attention de ne pas te faire attraper. Je m'occupe du reste avec le chat !"

Le petit oiseau vola vers le loup et commença à l'agacer en lui tournant autour. Le loup avait beau claquer furieusement des mâchoires, le petit oiseau était trop rapide pour lui ; il ne parvenait pas à le saisir.

Pendant ce temps, Pierre avait fabriqué une boucle avec la corde et l'avait donnée au chat. Celui-ci la prit dans sa gueule et descendit le long du tronc – de plus en plus près du loup.

Trop occupé par l'oiseau, ce dernier ne faisait pas attention à Pierre, ni au chat. Parvenu à son but, le chat serra la boucle autour de la queue du loup et Pierre tira sur la corde aussi fort qu'il le put !

Furieux, le loup se débattit comme un diable pour se libérer. Mais à chaque bond, Pierre tirait davantage sur la corde !

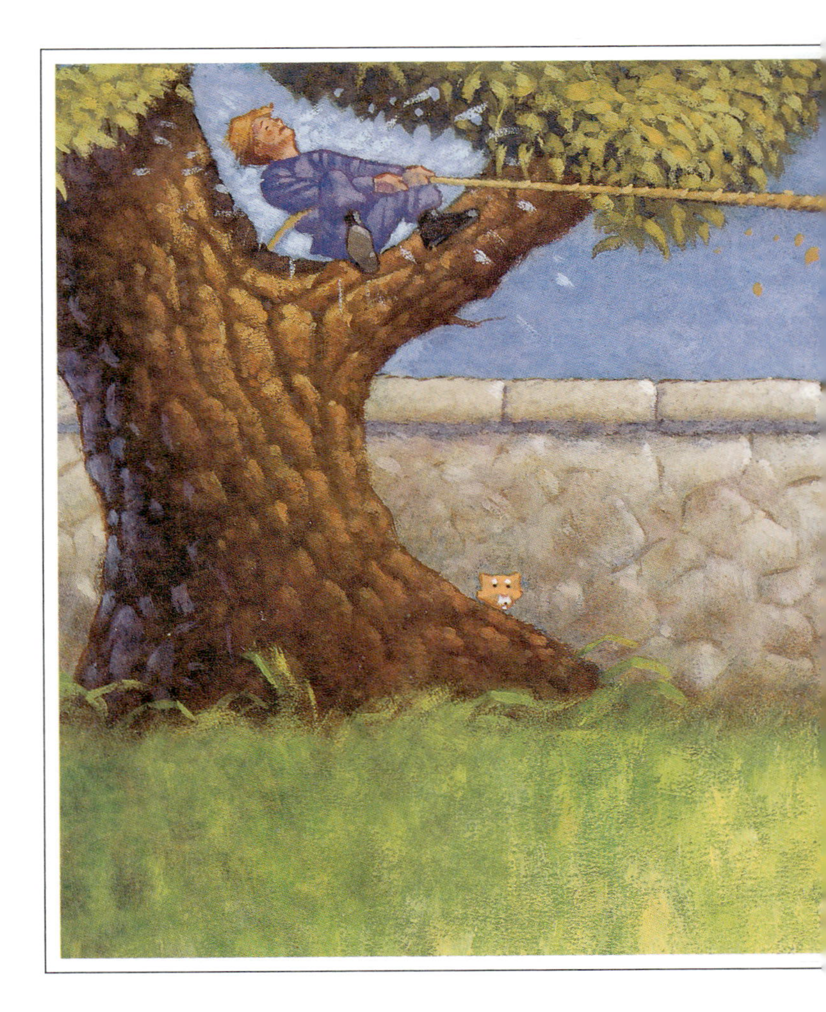

C'est alors que des chasseurs qui étaient sur la trace du loup sortirent de la forêt. Quand ils virent la scène, ils armèrent leurs fusils.

"Ne tirez pas ! cria Pierre. Mes amis et moi l'avons déjà attrapé. Nous voudrions l'emmener au zoo. Voulez-vous nous aider ?"

Les chasseurs, très surpris qu'un petit garçon comme Pierre eût réussi à capturer un animal pareil, attachèrent le loup sur un long bâton et l'emportèrent vers la ville.

Quel cortège ! Pierre, tout fier, marchait en tête, le petit oiseau perché sur son épaule et le chat trottant à côté de lui. Puis venaient les chasseurs portant le loup.

Le grand-père, qui les rencontra en chemin, se joignit à eux.

"Hum, dit le grand-père. Pierre a attrapé le loup, soit. Mais si c'était le loup qui avait attrapé Pierre ?

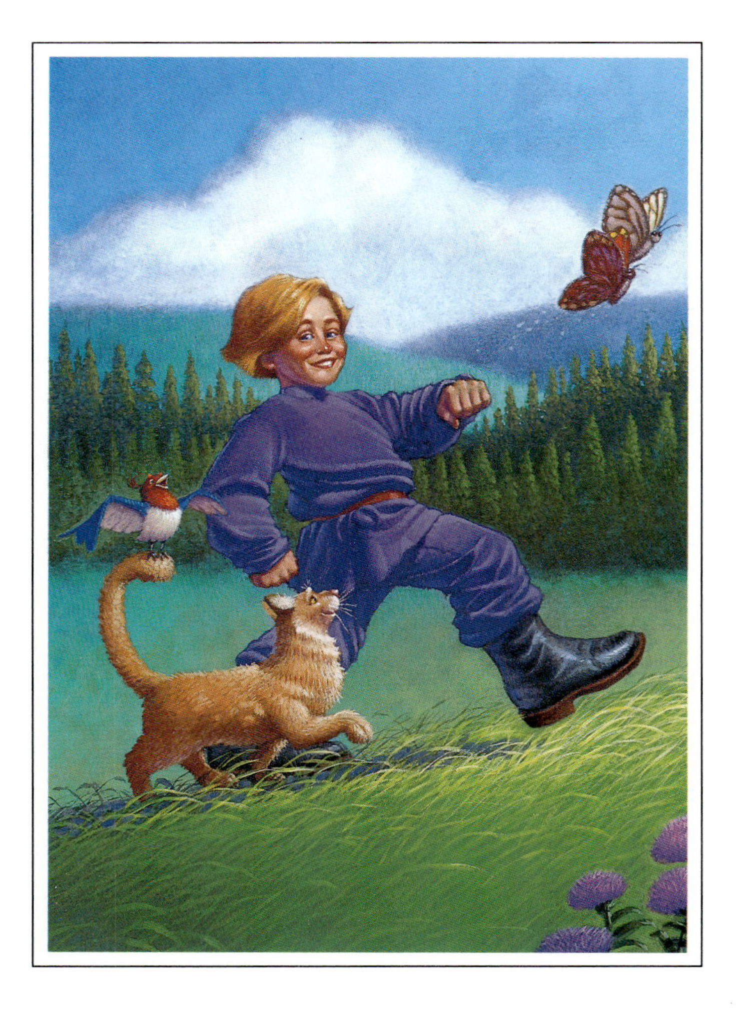

"Nous sommes malins, non ?" dit le chat à Pierre.

– Oui, gazouilla l'oiseau. Pierre et moi l'avons bien attrapé ! Nous sommes vraiment malins !

– N'oublie pas que moi aussi je l'ai aidé !" rétorqua le chat.

Soudain, des cris étouffés sortirent du ventre du loup : c'était le pauvre canard qui s'était fait croquer.

"Laissez-moi sortir ! Laissez-moi sortir !"

Alors, un des chasseurs asséna une grande claque sur le dos du loup et le canard jaillit de sa gueule, à la grande joie de Pierre et ses amis.

Le canard ébouriffa ses plumes et cria :

“Hourra pour Pierre qui a attrapé le loup !

– Hourra ! miaula le chat.

– Hourra ! gazouilla l’oiseau.

– Hourra ! s’écrièrent les chasseurs, et le grand-père.

– Hourra !” s’exclama Pierre, qui avait toujours su qu’il pouvait attraper un loup.

Ainsi, la ruse et l’obstination triomphent toujours de la force et de la méchanceté.